SHORT STORIES IN ENGLISH/ITALIAN

UNLOCK IGNITE & TRANSFORM YOUR LANGUAGE
SKILLS WITH CONTEMPORARY ROMANCE

LAURA MARIANI

The
PEOPLE
ALCHEMIST

ABOUT THE AUTHOR

Laura Mariani is best selling Author, Speaker and Entrepreneur.

Laura is a Fellow of the Chartered Institute of Personnel & Development (FCIPD), Fellow of the Australian Human Resources Institute (FAHRI), Fellow of the Institute of Leadership & Management (FInstLM), Member of the Society of Human Resources Management (SHRM) and Member of the Change Institute.

Laura writes non-fiction positive psychology success books for women in business and contemporary romance focusing on city life rom-com and billionaire romance books with a dabble in office romance.

Well, after all that hard work climbing the career ladder, you need to have some fun!

She writes strong female characters with backbone, big hearts and a stubborn streak. Every story has a happy ever after or a happy for now, and will make you laugh, gasp and cry a little.

Unless you have no sense of humour ;-).

Laura is based in London, England and, when she is not writing, she loves travelling, painting and drawing, tennis, rugby, and of course fashion (the Pope is Catholic after all).

SULL' AUTRICE

Laura Mariani è un'Autrice di best seller, Oratrice pubblica e Consulente.

Laura è Fellow del Chartered Institute of Personnel & Development (FCIPD), Fellow dell'Australian Human Resources Institute (FAHRI), Fellow dell'Institute of Leadership & Management (FInstLM), Membro della Society of Human Resources Management (SHRM) e membro del Change Institute.

Laura scrive saggistica sul successo e psicologia positiva per donne nel mondo degli affari e anche storie d'amore contemporanee, concentrandosi su commedie romantiche con sottofondo la vita di città e un tocco di affari clandestini in ufficio.
   Dopo tutto quel duro lavoro e impegno sulla carriera, uno si devie divertire un po'!

Laura scrive personaggi femminili forti con spina dorsale, cuore grande e una vena testarda.
   Ogni storia ha un lieto fine o almeno un finale felice per ora, e ti farà sussultare, piangere e ridere un po' - a meno che tu non abbia il senso dell'umorismo ;-).

Lei vive a Londra, in Inghilterra e, quando non scrive, ama viaggiare and dipingere, seguire il tennis, rugby e, naturalmente, è appassionata di moda (dopo tutto il Papa è cattolico).

Sign up for her newsletter at www.thepeoplealchemist.com and stay up to date on all latest Laura book news and blog.

You can also follow her on

www.thepeoplealchemist.com
@PeopleAlchemist
instagram.com/lauramariani_author

Iscriviti alla sua newsletter su www.thepeoplealchemist.com e rimani aggiornato su tutte le ultime notizie sui libri e sul blog di Laura.

Puoi anche seguirla su

www.thepeoplealchemist.com
@PeopleAlchemist
instagram.com/lauramariani_author

ISBN: 978-1-915501-62-2

ThePeopleAlchemist Press pubblica libri, risorse e prodotti di self-help, d'
ispirazione e trasformazione per aiutare #**TheWomanAlchemist** in ogni donna a
cambiare la sua vita/carriera e trasmutare qualsiasi circostanza in oro, un po' come
per magia per **Unlock Ignite Transform**.

ISBN: 978-1-915501-62-2

INTRODUCTION

Welcome to the series **Unlock Ignite & Transform** your language skills reading short stories.

When we are born, every possibility exists to pronounce and learn every sound in every language. But early on, our brains lay down neural pathways that interweave with the sounds we hear daily, eliminating sounds and words from other languages.

The **Unlock Ignite Transform** series aims to unlock the power of your subconscious mind and assist in resurfacing those abilities that have always been at your disposal.

Our subconscious is ready to execute any message we send and reproduce it in our physical reality, like a printer.

In this book, you will not find any dictionary, synonyms or grammar points because that would signal to your subconscious mind that you are *learning* and *practising* a new language.

Instead, we want to send the message that you are *reading* in two languages because you *already know them* both and you

INTRODUZIONE

Benvenuto alla series **Unlock Ignite & Transform**a le tue abilità linguistiche leggendo racconti.

Quando nasciamo, esiste in noi ogni possibilità di pronunciare e imparare ogni suono in ogni lingua. Ma presto i nostri cervelli stabiliscono percorsi neurali che si intrecciano con i suoni e parole che ascoltiamo quotidianamente, eliminando suoni e parole di altre lingue.

La serie **Unlock Ignite Transform** ha lo scopo di sbloccare il potere del vostro subconscio e aiutarvi a far riemergere quelle abilità che sono sempre state a vostra disposizione.

Il nostro subconscio è pronto a eseguire qualsiasi messaggio che inviamo e riprodurlo nella nostra realtà fisica, come una stampante.

In questo libro non troverete alcun dizionario, sinonimo o punto grammaticale perché ciò segnalerebbe al vostro subconscio che state *imparando* e *praticando* una nuova lingua.

Invece, vogliamo inviare il messaggio che state leggendo in

are *bilingual.*

The series offers parallel text in both English and Italian to enjoy contemporary literature in both languages (there is no need to constantly refer back to a dictionary because you *already ARE bilingual*).

The more you get the message to your subconscious mind that is *normal* for you to read either language, the more your subconscious will try to demonstrate to you that this is indeed correct.

The seventh short story in the series is **Freedom Over Me.**

Relationships aren't easy; they take a different take because of the memories and stories transformed during crucial moments.

Until meeting *Le PDG*, Gabrielle's experience of life was mainly secondhand, observed, and never viscerally involved.

And now that her layers are slowly peeling away, jealousy, frustration, anger, and rekindled love, this torrid affair had all the ingredients to become a modern tale of love, magic, and true self-discovery.

Happy reading!

due lingue perché *le conoscete già entrambe e siete bilingue.*

La serie offre testi paralleli sia in inglese che in italiano per godersi la letteratura contemporanea in entrambe le lingue (non c'è bisogno di fare costantemente riferimento a un dizionario perché *SEI già bilingue*).

Più il vostro subconscio riceve il messaggio che è normale per voi leggere in entrambe le lingue, più cercherà di dimostrarvi che questo è davvero corretto.

Il settimo racconto incluso in questo serie è **Libertà Su di Me**.

Relazioni non sono facili; prendono un aspetto diverso a causa dei ricordi e delle storie trasformate durante i momenti cruciali.

Fino all'incontro con *Le PDG*, l'esperienza di vita di Gabrielle era principalmente di seconda mano, osservata e mai visceralmente coinvolta.

E ora che le sue difese stanno lentamente cadendo, gelosia, frustrazione, rabbia e amore riacceso, questa avventura travolgente aveva tutti gli ingredienti per diventare una moderna storia d'amore, di magia e vera scoperta di sé.

Buona lettura!

FREEDOM OVER ME

The Global annual meeting had ended; it had been an astounding success, especially for Gabrielle.

People commented on how different this year had been, more inclusive, more fitting of a multi-billion euros global company, a leader in its field, rather than a provincial French company. Tradition and heritage had the rightful place in the strategy.

Everybody appreciated the changes and felt the company was also starting to speak their language.

It was a bittersweet victory for Gabrielle, professionally elating but personally devastating.

Le PDG tried desperately to reach her, to talk to her. He had to explain. Gabrielle had to know.

"Madame, pour Vous", the concierge said whilst she was checking out of the hotel and handed over a letter.

"Merci," she said and settled the bill.

Looking at her handwritten name on the envelope, she knew it was from him. But she didn't open it whilst on the train back to Paris, too many people she knew around.

She was going back to London from there for a well-deserved long weekend; there, on the Eurostar, with a glass of some kind of liquor in her hand, she started reading:

LIBERTÀ SU DI ME

L'incontro annuale globale era terminato; era stato un successo grandioso, specialmente per Gabrielle.

Tutti avevano commentato quanto quest'anno sia stato diverso, più inclusivo, più in linea con un'azienda globale multimiliardaria, leader nel suo settore, piuttosto che a un'azienda francese di provincia. La tradizione e il patrimonio culturale avevano avuto il giusto risalto nella strategia.

Tutti avevano apprezzato i cambiamenti e sentito inoltre che l'azienda stava iniziando a parlare la loro lingua.

Era stata una vittoria agrodolce per Gabrielle, professionalmente esaltante ma personalmente devastante.

Le PDG aveva cercato disperatamente di raggiungerla, di parlarle. Doveva spiegare. Gabrielle doveva sapere.

"Madame, pour Vous", le aveva detto l'addetto alla ricezione consegnandole una lettere mentre stava facendo il check-out dall'hotel.

"Merci", aveva risposto e aveva saldato il conto.

Guardando al suo nome scritto a mano sulla busta, sapeva che proveniva da lui. Ma non l'aveva aperta mentre era sul treno per Parigi, c'era troppa gente che conosceva in giro.

Da lì sarebbe tornata a Londra per un lungo, meritato weekend; lì, sull'Eurostar, con un bicchiere di liquore indeterminato in mano, iniziò a leggere:

"Dear Gabrielle,

Don't be afraid of how much I desire you. I will shield you with love the next time I see you, with kisses and caresses.

    I want to dive with you in all the pleasures of the flesh so that you faint.

    I want you to be astounded by me and admit that you have never dreamed of such things possible ...."

Tears were streaming down her cheeks.

".......You have raised new hope and fun in me, and I love you...."

"*Madame, are you OK?*" asked the very attentive server on the train. They didn't often see many people crying their hearts out in business class.

"I'm good, thank you. Thanks for asking", Gabrielle replied.

"All this madness I asked of you, I know there is confusion in your silence — but there are no actual words to describe my great love...." she continued reading.

"Last night I dreamed about you ...... I was you. You were me.

Then, we caught fire. I remember I was smothering the fire with my shirt. But you were a different, a shadow, as drawn with chalk, and you were lifeless, fading away from me.

Please don't leave me, my darling Gabrielle. I am nothing without you.

"Cara Gabrielle,

Non aver paura di quanto ti desidero. La prossima volta che ti vedrò, ti farò scudo con il mio amore, con baci e carezze.

Voglio immergermi con te in tutti i piaceri della carne da farti svenire.

Voglio che tu sia sbalordita da me e ammetti che non hai mai sognato che una cosa del genere fosse possibile"

Lacrime le rigavano le guance.

".......Hai suscitato in me nuove speranze e gioia e io ti amo...."

"Madame, tutto bene?", le aveva chiesto il server molto attento sul treno. Non vedevano spesso molte persone che piangevano apertamente nella classe business.

"Sto bene, grazie. Grazie per avermelo chiesto", rispose Gabrielle.

"Tutta questa follia ho chiesto a te, so che c'è confusione nel tuo silenzio - ma non ci sono parole reali per descrivere il mio grande amore...

La scorsa notte ti ho sognato; non so cosa sia successo esattamente. Quello che so è che continuavamo a fonderci l'uno nell'altro. Io ero te. Tu eri me.

Poi abbiamo preso fuoco. Ricordo che stavo spegnendo il fuoco con la mia camicia. Ma eri un diversa, un'ombra, come disegnata con il gesso, ed eri senza vita, svanendo da me.

Per favore, non lasciarmi, mia cara Gabrielle. Non sono niente senza te.

I'm yours forever."

"Yes, forever mine, forever hers", she thought. It was the longest two and half hours of her life.

She spent the next twenty-four hours in bed. She couldn't be bothered doing anything, going anywhere. *Le PDG*'s letter clutched in her hands.

Gabrielle was feeling both aching for him and repulsed at the same time.

She hadn't spoken to him yet. He called her numerous times, but she didn't pick up. She let the calls go to voicemail every time. He texted her a myriad of times, and she didn't respond either.

Ring, ring …. ring ring …

Her mobile was buzzing.

"Ciao bella", the voice said "bentornata". It was Paola, her trusted friend, checking in on her.

"Hiya", Gabrielle replied. They chatted for a while, she really wanted to be left alone, but she knew her friend was trying to jerk her out of her apathy.

"Cicci, lunch on Sunday", Paola said.

It wasn't a question, and she wouldn't have taken no for an answer anyway.

"I'll come to Islington, and we'll go somewhere in your area".

Sono tuo per sempre."

"Sì, per sempre mia, per sempre tuo", pensò. Erano state le due ore e mezza più lunghe della sua vita.

Trascorse le successive ventiquattr'ore a letto. Non poteva neanche pensare a fare nient'altro or andare da nessuna parte. La lettera dal *PDG* stretta tra le mani.

Gabrielle sentiva la sua mancanza così tanto che faceva male ma anche disgusto allo stesso tempo.

Non gli aveva ancora parlato. L'aveva chiamata numerose volte, ma lei non aveva risposto. Lasciava ogni volta che le chiamate andassero alla segreteria. Le aveva mandato messaggi SMS una miriade di volte e lei non aveva risposto neppure a quelli.

Drin, drin …. drin drin …

Il suo cellulare stava squillando.

"Ciao bella", la voce al telefono disse "bentornata". Era Paola, la sua fidata amica, che controllava se lei stava bene.

"Ciao", rispose Gabrielle. Chiacchierarono per un po', lei voleva davvero essere lasciata sola, ma sapeva che la sua amica stava cercando di trascinarla fuori dalla sua apatia.

"Cicci, domenica a pranzo", disse Paola.

Non era una domanda, e comunque non avrebbe accettato un no come risposta.
   "Vengo io a Islington e possiamo andare da qualche parte nella tua zona".

Gabrielle knew it was pointless arguing or saying no; she would have shown up at her house anyway. Paola knew how to shake her up when she needed it.

"Remember to bring your passport when you are travelling from the suburbs", Gabrielle said, with their longstanding joke about Paola living in Richmond.

"I'll try. See you Sunday", she said.

Sunday came quicker than she realised, et voilà, it was soon time to meet Paola for a good catch-up.

Paola, her no-nonsense Italian friend who she had known since she had arrived in London.

Paola managed not to lose her strong accent after almost twenty years in the country. She always made Gabrielle smile.

The weather was warming up, and they were looking for somewhere to eat with outside space. Londoners turn into mini lizards and seek the sun whenever it seems like it is coming out.

Ultimately, they opted for The Alwyne Castle, a charming pub in Islington with a beer garden, situated only a minute's walk from Highbury & Islington underground station.

The Alwyne has lots of space, especially outside, which is ideal for building a suntan and carries a good beer and wine selection.

They met for an early Sunday lunch; Gabrielle definitely needed some cheering before heading back to Paris.

Gabrielle sapeva che era inutile discutere o dire di no; si sarebbe comunque presentata a casa sua. Paola sapeva come scuoterla quando ne aveva bisogno.

"Ricordati di portare il passaporto quando viaggi dalla periferia", aveva aggiunto Gabrielle, con la solita canzonatura per Paola che vive a Richmond.

"Ci provo. Ci vediamo domenica", ha detto.

La domenica arrivò più in fretta di quanto pensasse, et voilà, il momento di incontrare Paola per una bella chiacchierata era presto arrivato

Paola, la sua amica italiana super schietta che conosceva da quando era arrivata a Londra.

Paola era riuscita a non perdere il suo forte accento dopo quasi vent'anni in Inghilterra. Faceva sempre sorridere Gabrielle.

Il clima si stava riscaldando e stavano cercando un posto dove potevano mangiare di fuori. I londinesi si trasformano in mini lucertole e cercano il sole ogni volta che sembra che stia uscendo.

Alla fine, avevano optato per The Alwyne Castle, un pub grazioso a Islington con birreria all'aperto, situato a solo un minuto o due a piedi dalla stazione della metropolitana di Highbury & Islington.

L'Alwyne ha molto spazio, soprattutto all'esterno, ideale per prendere un po' di sole mentre si mangia e offre una buona selezione di birre e vini.

Si erano incontrate presto per il pranzo domenicale; Gabrielle aveva decisamente bisogno di un po' di incoraggiamento prima di tornare a Parigi.

"Hello ladies", said the waiter ", a table outside or inside?"

"Outside, outside", they replied in unison.

They both glanced at the menu and quickly chose: beef carpaccio and seared scallops, perfectly done and seasoned for starter and the obligatory Sunday Roast (obviously).

"Any drinks while you are waiting?"

Gabrielle and Paola looked at each other and said, "A bottle of house red and sparkling water, thanks".

"So, *ciccia mia*, what's going on?" Paola started as soon as the waiter had left their table.

It had been a while since they last saw each other, and they had a lot to talk about.

Gabrielle, slowly and softly, started to tell her story: her first meeting with *Le PDG*, their clandestine meetings anywhere and everywhere, and, to finish, she recounted what just happened in *Londrienne* at the global annual conference.

"Seared scallops?" the server interrupted.

"Me", Paola raised her hand.

"Ciccia, ciccia, no no no ..." Paola went on after he had served them with their starters.

"But, but you are having an affair too," Gabrielle responded, baffled.

"Buongiorno signore", disse il cameriere ", un tavolo fuori o dentro?".

"Fuori, fuori", risposero all'unisono.

Entrambi diedero un'occhiata al menu e scelsero rapidamente: carpaccio di manzo e capesante scottate, perfettamente cotte e condite per antipasto e l'obbligatorio arrosto della domenica (ovviamente).

"Qualcosa da bere mentre aspettate?"

Gabrielle e Paola si guardarono e dissero: "Una bottiglia di rosso della casa e acqua frizzante, grazie".

"Allora, ciccia mia, cosa sta succedendo con te?" iniziò Paola non appena il cameriere aveva lasciato il loro tavolo.

Era passato un po' di tempo dall'ultima volta che si erano viste e avevano molto di cui parlare.

Gabrielle, lentamente e quasi sottovoce, iniziò a raccontare la sua storia: il suo primo incontro con *Le PDG*, i loro incontri clandestini dovunque e dappertutto, e, per finire, le raccontò quello che era appena successo a *Londrienne,* alla conferenza globale annuale.

"Capesante scottate?" cameriere le interruppe .

"Io", Paola alzò la mano.

"Ciccia, ciccia, no no no..." Paola riprese dopo che erano state servite i loro antipasti.

"Ma, anche tu stai avendo un'avventura," rispose Gabrielle perplessa.

Paola had been married to an Englishman for the last ten years, and they had two gorgeous daughters. She loved them all dearly; however, she had kept her bit on the side: an Italian lover Paola met from time to time when visiting her mother every couple of months.

"*La differenza mia cara*, for me it's just sex.

I tell Marco I'm going over; if he is available, we meet; if he isn't, it is still OK, like a 'human vibrator' on call. Nothing else. He knows how to make me come, and he does his job.

He doesn't want or need anything more from me and me from him".

Her husband lacked a bit in the sex drive department and was happy to go without it. Paola wasn't.

Martin was an outstanding father and husband; she would never leave him, but needs were needs.

"Tu ciccia mia, are getting involved. No, correction, you are involved emotionally.

Plus, you feel guilty even when you find money on the pavement, or someone gives you extra change in shops. Remember that time you went back to return ten pence? Ten pence. And now you are having an affair with a married man?" she paused, shaking her head.

"No, no, no, not for you. I can read guilt splattered all over your face; it is consuming you".

Paola era sposata con un inglese per gli ultimi dieci anni e avevano due figlie meravigliose. Le li amava tutti teneramente; tuttavia, aveva mantenuto una relazione extraconiugale: un'amante italiano che Paola incontrava di tanto in tanto quando andava a trovare sua madre ogni due mesi.

"La differenza mia cara, per me è solo sesso.

Dico a Marco che vado in Italia; se è disponibile, ci incontriamo; se non lo è, va ancora bene, è come un "vibratore umano" in chiamata. Nient'altro. Sa come farmi venire e lo fa bene.

Non vuole né ha bisogno di niente di più da me e io da lui".

Suo marito aveva poca libido ed era soddisfatto senza molto sesso. Paola no.

Martin era un padre e un marito eccezionale; non lo avrebbe mai lasciato, ma i bisogni erano bisogni.

"Tu ciccia mia, ti stai coinvolgendo. No, mi correggo, sei già coinvolta emotivamente.

Inoltre, ti senti in colpa anche quando trovi soldi sul marciapiede, o qualcuno ti dà degli spiccioli extra nei negozi. Ricordi quella volta che sei tornata indietro per restituire dieci centesimi? Dieci centesimi. E ora hai una relazione con un uomo sposato?" fece una pausa, scuotendo la testa.

"No, no, no, non per te. Posso leggere il senso di colpa sparpagliato dappertutto sul tuo viso; ti sta consumando".

The main course arrived; Gabrielle was impressed that they managed to handle the timing of the two orders with no problem, especially considering she liked her beef still muuuing and rare whilst her friend liked it almost cremated.

The beef was delicious, and the beef dripping roast potatoes were perfectly cooked.

Gabrielle knew Paola was right. But she couldn't bear to stop it yet.

"Relationships aren't easy," she thought, "they take a different take because the memories and stories can transform during crucial moments", she was illuding herself.

Finally, they ended the meal with the British Cheeseboard washed down with more red.

"*Se hai bisogno, lo sai che sono qui*", Paola said.

"I know".

At 6.00 am on Monday morning, Gabrielle started to get ready to leave the house. The first Eurostar to Paris was at 7.00 am, and St Pancras station was not that far from her home; she had plenty of time.

The two and half hours seemed to pass by incredibly slowly. It felt more like a lifetime.

On the one hand, she was glad. But, on the other hand, she wasn't really looking forward to seeing him again. Gabrielle was postponing the inevitable, and she had to meet him sometime. She was working directly for him, after all.

Il corso principale era arrivato; Gabrielle era colpita dal fatto che fossero riusciti a gestire i tempi dei due ordini senza problemi, soprattutto considerando che a lei piaceva la carne ancora muuu-uuuu quasi cruda e al sangue mentre alla sua amica piaceva quasi cremata.

La carne era deliziosa e le patate al forno erano cucinate alla perfezione.

Gabrielle sapeva che Paola aveva ragione. Ma non poteva ancora tollerare di fermare a vederlo.

"Le relazioni non sono facili", pensava, "prendono una piega diversa poiché i ricordi e le storie possono trasformarsi nei momenti cruciali", si stava illudendo.

Alla fine, avevano concluso il pasto con un tagliere di formaggi britannici innaffiato da un'altra bottiglia di vino rosso.

"Se hai bisogno, lo sai che sono qui", le aveva detto Paola.

"Lo so".

Alle 6:00 di lunedì mattina, Gabrielle aveva iniziato a prepararsi per uscire di casa. Il primo Eurostar per Parigi era alle 7:00, e la stazione di St Pancras non era molto lontana da casa sua; aveva un sacco di tempo.

Le due ore e mezza sembravano passare incredibilmente lentamente. Sembrava più una vita.

Da un lato, era contenta. Ma, d'altra parte, non vedeva davvero l'ora di rivederlo. Gabrielle stava rimandando l'inevitabile e prima o poi doveva incontrarlo. Dopo tutto, stava lavorando direttamente per lui.

Until meeting *Le PDG*, Gabrielle's life experience was mainly secondhand, observed, and never viscerally involved. And now that her layers are slowly peeling away, and all the emotions she had repressed for so long, jealousy, frustration, and anger were coming to the surface.

All her life, she had been a closet bohemian. She always loved to live big, outrageously. Outside she was the perfect daughter and businesswoman but inside, she had always been Isadora Duncan.

She wanted a life outside the bell curve and to suck the marrow out of life. But she wanted people to like her too…
    And so, she conformed.

Gabrielle arrived at the office after 11.00 am. People were still buzzing from the conference; she noticed *Le PDG* was not in.

"Good", she thought. She preferred it that away, at least today.

The day went by, and she had meetings back to back, so she had no time to think.

She left the office a bit late but decided to walk home anyway. Even though it was a bit far from *Tour Montparnasse* to the right behind *Gare Du Nord*, she needed the fresh air.

When she arrived at her building, he was standing there. *Le PDG*. He was holding a bouquet of purple hyacinths in his hands, and one single red rose.

"I'm sorry", he said. "I should have told you myself. I took for granted that you knew about the gossip mill like everyone else seems to.

Fino all'incontro con *Le PDG*, l'esperienza di vita di Gabrielle era stata principalmente di seconda mano, osservata e non era stata mai coinvolta visceralmente. E ora che le sue barriere stavano lentamente cadendo e così tutte le emozioni che aveva represso per così tanto tempo; la gelosia, la frustrazione e la rabbia stavano venendo a galla.

Per tutta la vita era stata una bohémien nascosta. Ha sempre amato vivere in grande, scandalosamente. Fuori era la figlia e la donna d'affari perfetta, ma dentro era sempre stata Isadora Duncan.

Voleva una vita fuori dal normale e succhiare il midollo dalla vita. Ma voleva anche piacere alla gente...

E così, si era conformata.

Gabrielle arrivò in ufficio dopo le 11:00. Tutti erano ancora entusiasti per la conferenza; lei notò che *Le PDG* non c'era.

"Bene", pensò. Preferiva così, almeno oggi.

La giornata trascorse normalmente; lei aveva riunioni consecutive, quindi non aveva avuto tempo per pensare.

Aveva lasciato l'ufficio un po' in ritardo, ma deciso comunque di tornare a casa a piedi. Anche se era un po' lontano da *Tour Montparnasse* sulla destra dietro la *Gare du Nord,* aveva bisogno di aria fresca.

Quando arrivò al suo edificio, lui era lì. *Le PDG.* Teneva tra le mani un mazzo di giacinti viola e un'unica rosa rossa.

"Mi dispiace", le disse. "Avrei dovuto dirtelo io stesso. Davo per scontato che tu sapessi del mulino di pettegolezzi come tutti gli altri sembrano conoscere.

"I can't stop thinking about you. Please don't leave me. I am nothing without you."

And there he was, standing right in front of the building entrance; she couldn't get in without acknowledging his presence one way or the other.

She didn't want to, but she was aching for him.

"There has been no other since I met you. Only you", he continued.

"Did you get my letter?" he asked. Gabrielle nodded.

And suddenly, they were making love in her apartment, on the floor, on the table, starving for each other. They stayed up all night; it was the first time he had stayed over.

And from then on, it became more regular. *Le PDG* was scared of losing Gabrielle and was trying his best to reassure her.

She wasn't one of the many other women, but the other woman nevertheless.

Relationships aren't easy; they take a different take because of the memories and stories transformed during crucial moments.

Gabrielle had decided to stop commuting for a bit and fully experience Paris. At least for a while. She had to give Paris the attention and love it deserved.

"Paris is always a good idea", Audrey Hepburn said.

"Non riesco a smettere di pensarti. Per favore, non lasciarmi. Non sono niente senza di te."

E lì era, in piedi, proprio davanti all'ingresso dell'edificio; non poteva entrare senza ammettere la sua presenza in un modo o nell'altro.

Non voleva, ma lo desirava così tanto da far male.

"Non c'è stata nessun altra da quando ti ho incontrato. Solo tu", continuò.

"Hai ricevuto la mia lettera?" Le chiese. Gabriella annuì.

E all'improvviso stavano facendo l'amore nel suo appartamento, sul pavimento, sul tavolo, affamati l'uno per l'altro. Rimasero svegli tutta la notte; era la prima volta che si fermava.

E da quel momento in poi, era diventata una cosa più regolare. *Le PDG* aveva paura di perdere Gabrielle e stava facendo del suo meglio per rassicurarla.

Non era una delle tante altre donne, ma comunque l'altra donna.

Le relazioni non sono facili; prendono un aspetto diverso a causa dei ricordi e delle storie si trasformano durante i momenti cruciali.

Gabrielle aveva deciso di smettere di fare la pendolare per un po' e vivere pienamente Parigi. Almeno per un po'. Doveva dare a Parigi l'attenzione e l'amore che meritava.

"Parigi è sempre una buona idea", aveva detto una volta Audrey Hepburn.

"Indeed, it is Audrey. Indeed it is." And even though summer in France meant a looooong holiday for the French who escaped to the coast or family house, it was worthed.

Gabrielle enjoyed walking around Paris and taking in the open-air architectural views, which were even more breathtaking with the sunshine.

"Summer brings out the best in Paris", she thought, "long days and nights when you can enjoy walking out and about, stunning views, sipping cocktails on terraces and dining al fresco".

Her Paris apartment was small and without outside space but there were many gorgeous parks in Paris she could enjoy:
    big ones (*Bois de Vincennes, Bois de Boulogne, Buttes-Chaumont, Parc Floral, Parc de la Villette*),
    elegant ones (*Palais-Royal, Jardin du Luxembourg, Jardins des Plantes*),
    and the in-between (*Parc Monceau, Parc Montsouris*).
    All very charming and hosting various summer events that pair well with picnic time, and Gabrielle took full advantage of them.

Le PDG sometimes stayed at the weekend, and they relished watching the occasional movie in the *Parc de la Villette,* where there is a month-long *Cinema en Plein Air festival* with the city's most gigantic movie screen.

It was perfect, almost idyllic: some delicious food and a bottle of wine watching a movie whilst the sun set - the illusion of a proper relationship.

"Infatti, lo è Audrey. In effetti lo è." E anche se l'estate in Francia significava una vacanza moooolto lunga per i francesi che scappano sulla costa o nella casa di famiglia, ne valeva la pena.

A Gabrielle piaceva passeggiare per Parigi e ammirare l'architettura in piena vista degli edifici che erano ancora più mozzafiato con il sole risplendente.

"L'estate mostra il meglio di Parigi", pensava, "lunghi giorni e lunghe notti in cui puoi goderti passeggiate, panorami mozzafiato, sorseggiare cocktail in terrazza e cenare all'aperto".

Il suo appartamento di Parigi era piccolo e senza uno spazio esterno, ma c'erano molti splendidi parchi a Parigi che poteva godersi:

quelli grandi (*Bois de Vincennes, Bois de Boulogne, Buttes-Chaumont, Parco floreale, Parc de la Villette*),

quelli eleganti (*Palais-Royal, Giardini del Lussemburgo, Giardini botanici*),

e quelli tra i due (*Parc Monceau, Parc Montsouris*).

Tutti molto incantevoli e tutti ospitano vari eventi estivi che si abbinano bene con l'ora del picnic, e Gabrielle ne approfittò appieno.

Le PDG a volte rimaneva con lei nel fine settimana e si divertivano a guardare qualche film occasionale nel *Parc de la Villette,* dove c'è per un mese intero un festival del *Cinema en Plein Air* con lo schermo cinematografico più gigantesco della città.

Era perfetto, quasi idilliaco: del cibo delizioso e una bottiglia di vino guardando un film mentre il sole tramontava - l'illusione di una vera relazione.

With or without *Le PDG* though, Gabrielle wanted to enjoy Paris, sometimes taking a tour alone from a boat on the Seine.

A tour on *Les Bateaux Mouches* lasts approximately two and six hours and offers great sightseeing with commentary with plenty of Champagne. Or a meal served on exquisite white linen.

She deserved to experience all of it.

She loved how, in the summer, Paris becomes a seaside resort and welcomes *Paris Plages* in the new , with sun loungers and palm trees popping up just by the w*Parc Rives de Seine*ater's edge.

Plus, every boutique and department store in Paris has super anticipated sales *soldes d'été.*

She was squeezing in as much as she could as if she knew ...

Summer came and went, and the relationship with *Le PDG* became more stable, almost routine, and predictable.

It was as if they had sucked the marrow out, and now only the bones were left behind, holding the skeleton up. Nevertheless, he was still her addiction.

Gabrielle realised that she had now been in Paris, in her position for almost a year.

"Career progression is slow in Paris", she had been thinking.

"Somehow, people stay in the same position much longer than in the UK, where everyone expects to be promoted or move every couple of years".

Con o senza *Le PDG* tuttavia, Gabrielle voleva godersi Parigi, a volte facendo un giro da sola da una barca sulla Senna.

Un giro su Les Bateaux Mouches dura circa due ore e offre una ottima visita guidate con commentario e tanto champagne. O un pasto servito su squisito lino bianco.

Meritava di vivere tutto questo.

Lei amava come, in estate, Parigi diventa una località balneare e accoglie Paris Plages nel nuovo Parc Rives de Seine, con lettini e palme che spuntano proprio in riva .

Inoltre, ogni boutique e grande magazzino di Parigi ha i saldi super attesi - les soldes d'été.

Stava riempendosi di più esperienze che poteva come se sapesse...

L'estate era venuta e andata, e il rapporto con Le PDG divenne più stabile, quasi di routine e prevedibile.

Era come se avessero succhiato via il midollo, e ora fossero rimaste solo le ossa a sostenere lo scheletro. Tuttavia, era ancora assuefatta a lui, era la sua droga.

Gabrielle si rese conto che ormai era a Parigi nella stessa posizione da quasi un anno.

"Progredire nella carriera va lentamente a Parigi", pensava spesso.

"In qualche modo, le persone rimangono nella stessa posizione molto più a lungo che nel Regno Unito, dove tutti si aspettano di essere promossi o di trasferirsi ogni due anni".

She was feeling restless but wasn't quite sure why.

Her role was keeping her very busy with regular travel to the different branches of the company worldwide. Christmas was just around the corner.

She was away from the office more and more, and working from home started to creep in. From the London home.

She started commuting again and travelling back on Thursdays more regularly.

And then, just like that, everything changed ...

On Monday, 23 March 2020, the Prime Minister announced the first lockdown in the UK, ordering people to stay at home. And on 26 March, the lockdown measures legally came into force. Gabrielle was stuck in London.

Life can turn just in a second. Just like that. All the things you always wanted to do on pause. Until someone else decides to press the play button again.

Tomorrow, always longing for tomorrow, and suddenly, there almost wasn't a tomorrow.

Gabrielle kept in touch with the office, making great use of Teams and Zoom and continued working.

To be fair, she enjoyed being back in her home and the alone time.

She had always been a loner: a child lost in her books, as an adult chasing the next win in the never-ending climb.

Si sentiva irrequieta ma non era del tutto sicura perché.

Il suo ruolo la teneva molto occupata con viaggi regolari nelle diverse filiali dell'azienda in tutto il mondo. Il Natale era ormai quasi dietro l'angolo.

Era fuori dall'ufficio di Parigi sempre più e lavorare da casa aveva incominciato a insinuarsi nella sua routine. Dalla casa londinese.

Aveva anche ricominciato a fare la pendolare e tornare più regolarmente il giovedì.

E poi, proprio così, tutto cambiò ...

Il lunedì 23 marzo 2020, il Primo Ministro annunciò il primo lockdown nel Regno Unito, ordinando alle persone di rimanere a casa. E il 26 marzo le misure del lockdown entrarono legalmente in vigore. Gabrielle era bloccata a Londra.

La vita può cambiare in un solo secondo. Proprio così. Tutte le cose che hai sempre voluto fare in pausa. Finché qualcun altro non decide di premere nuovamente il pulsante e dice 'vai'.

Domani, sempre desiderando il domani, e all'improvviso, quasi non c'era un più domani.

Gabrielle rimase in contatto con l'ufficio, facendo un ottimo uso di Teams e Zoom e aveva continuato a lavorare.

Per essere onesti, le piaceva essere tornata a casa sua e stare da sola.

Era sempre stata una persona solitaria: una bambina persa nei suoi libri, e un'adulta a caccia della prossima vittoria nella scalata senza fine.

She had cancelled many events before, dates, and meetings with friends at the last minute.

There was always tomorrow. There was always something more important to do.

But, after a while, her body and brain started fighting themselves. They were fighting her or something.

She felt exhausted all the time, and all the energy was wiped out of her. She was so fatigued that she was struggling to complete even the most minor tasks. And yet, Gabrielle was unable to get any rest.

She tested to see if she had caught the dreaded C, but no, she hadn't.

Her body was on fire. And on top of throbbing soreness, she was experiencing pins-and-needles sensation prickling throughout.

Her mind went into overdrive to the point where she was feeling paranoid, irritable and moody. She couldn't stay still for even a moment.

She couldn't understand what was happening to her.

After a few months, with the physical symptoms subsiding, she was starting to see things clearly again.

She had been withdrawing from the most potent drug.

Overall, the various lockdowns and consequent restrictions had been good for her, a time to focus on herself with little distraction.

Nel passato aveva cancellato molti eventi, appuntamenti e incontri con gli amici all'ultimo minuto.

C'era sempre domani. C'era sempre qualcosa di più importante da fare.

Ma, dopo un po', il suo corpo e il suo cervello iniziarono a lottare contro se stessi. Stavano combattendo contro di lei o qualcosa del genere.

Si sentiva esausta in continuazione e tutta la sua energia era stata spazzata via. Era così stanca che faticava a portare a termine anche i compiti più insignificanti. Però, nonostante la stanchezza, Gabrielle non riusciva a riposare.

Prese il test per vedere se aveva preso la temuta C, ma no, non l'aveva.

Il suo corpo era in fiamme. E oltre al dolore lancinante, stava provando una sensazione di formicolio dappertutto.

La sua mente andò in overdrive così tanto da sentirsi paranoica, irritabile e lunatica. Non riusciva a stare ferma neanche un attimo.

Non riusciva a capire cosa le stesse succedendo.

Dopo alcuni mesi, con la scomparsa dei sintomi fisici, ricominciò a vedere le cose chiaramente.

Si stava disintossicando dalla droga più potente.

Nel complesso, i vari lockdowns e le restrizioni che ne derivavano le erano stati utili, un periodo di tempo per concentrarsi su se stessa con poche distrazioni.

And now, after the 'detox', she was getting to know who Gabrielle actually was or wanted to be.

Fully and unapologetically. Isadora Duncan and all.
   And levelling up big time.

The pandemic gave Gabrielle a new, more in-depth appreciation of being out there, alone, in gratitude for life. Appreciating everything that she was so lucky to be able to experience.

Sometimes it takes a great emergency or crisis to delve deep and discover how much more you can do. Or should do.

Gabrielle had never been afraid to make big choices: she left her big corporate job, Paris and *Le PDG*, in the middle of the pandemic.

Everybody thought she was crazy. But she knew it was the right thing to do.

She wanted to take her time to figure out what she really wanted. And so she reconnected with her inner Isadora and reprised some childhood passion, and started writing and illustrating children's books and a YouTube channel/ podcast.

She also began to treat her body and herself with more love and kindness, no more torture and self-flagellation with super hard schedules. Or self-destructive affairs. Nothing left to prove.

She liked this Gabrielle. And this Gabrielle had attracted the most wonderful man.

E ora, dopo la 'disintossicazione', stava imparando a conoscere chi era Gabrielle o chi voleva essere.

Completamente e senza scusarsi. Isadora Duncan e tutto il resto. E migliorare alla grande.

La pandemia aveva dato a Gabrielle un nuovo, più profondo apprezzamento di essere là fuori, da sola, in segno di gratitudine per la vita. Apprezzando tutto ciò che era stata così fortunata da poter vivere.

A volte ci vuole una grande emergenza o crisi per guardare più in profondità e scoprire quanto più poi fare. O dovresti fare.

Gabrielle non aveva mai avuto paura di fare grandi scelte: lasciò la sua posizione importante in azienda, Parigi e *Le PDG* , nel mezzo della pandemia.

Tutti pensavano che fosse pazza. Ma sapeva che era la cosa giusta da fare.

Voleva prendere del tempo per capire cosa voleva veramente, con calma. E così si era riconciliata con la ribelle Isadora dentro di se e aveva ripreso qualcuna delle sue passioni d'infanzia, e iniziato a scrivere e illustrare libri per bambini e un canale/podcast su YouTube.

Aveva anche iniziato a trattare il suo corpo e se stessa con più amore e gentilezza, non più torture e autoflagellazione con programmi super duri. O relazioni autodistruttive. Non c'era niente più rimasto da dimostrare.

Le piaceva questa Gabrielle. E questa Gabrielle aveva attratto l'uomo più meraviglioso.

She had to make sure that Mr Wonderful knew that THE letter he was holding in his hands was only a page in the book of her life, a chapter fully closed, and she was waiting to continue writing her story with him, and only him.

For Gabrielle had played, had strayed, and now she was ready to stay.

Doveva assicurarsi che Mr Wonderful sapesse che LA lettera che teneva tra le mani era solo una pagina del libro della sua vita, un capitolo completamente chiuso, e lei stava aspettando di continuare a scrivere la sua storia con lui, e solo con lui.

Perché Gabrielle aveva giocato, si era allontanata e ora era pronta a restare.

DISCLAIMER

Freedom Over Me is a work of fiction.

Although its form is that of a semi-autobiography (Gabrielle's), it is not one.

With the exception of public places any resemblance to persons living or dead is coincidental. Space and time have been rearranged to suit the convenience of the book, memory has its own story to tell.

The opinions expressed are those of the characters and should not be confused with the author's.

BONUS READING FROM THE NEXT ADVENTURE

The day had started so well. The sun filtering through the gap in the heavy curtains woke them gently.

His arms were still around her; he found that he couldn't quite sleep without being close to her, skin to skin. As if he was scared she was about to fly away.

Gabrielle was lying there, motionless, looking at him sweetly, her hair ruffled, cheeks flushed, trying not to breathe. Precious moments contemplating how lucky he was.

They were back home after a long weekend celebrating the day they met — he organised it as a surprise for her, together with an overnight stay at a central hotel.

And then, they spent the previous day talking; well, for the first time, it was Gabrielle talking.

About herself and why she had been so distracted, he had noticed but was not going to say anything. He knew how difficult it was for her to open up. But open up, she did; it must have been excruciating.

"Good morning",
    she purred and sunk her face into his chest without looking into his eyes.

BONUS E LA PROSSIMA AVVENTURA

La giornata era iniziata così bene. Il sole che filtrava dalla fessura
delle tende pesanti li aveva svegliati dolcemente.

Le sue braccia erano ancora attorno a lei; lui non riusciva a
dormire senza essere vicino a lei, pelle contro pelle. Come se
avesse paura che stesse per volare via.

Gabrielle era sdraiata lì, immobile, lo guardava dolcemente, i
capelli arruffati, le guance arrossate, cercando di non respirare.
Momenti preziosi contemplando quanto fosse fortunata.

Erano tornati a casa dopo il lungo weekend per festeggiare il
giorno in cui si erano conosciuti - lui l'aveva organizzato come
sorpresa per lei, insieme a un pernottamento in un albergo del
centro.

E poi, avevano passato il giorno prima a parlare; beh, per la prima
volta, era Gabrielle a parlare.

Di se stessa e del motivo per cui era stata così distratta, lui l'aveva
notato ma non aveva intenzione di dire nulla. Sapeva quanto fosse
difficile per lei aprirsi. Ma aprirsi, lo aveva fatto; doveva essere
stato straziante.

"Buongiorno",
    Gabrielle disse facendo le fusa e affondando il viso nel suo
torace senza guardarlo negli occhi.

He knew she had done enough sharing, at least for now, far more than she was used to, so he held her firmly, stroking her back whilst kissing her forehead.

Gabrielle turned the key and opened the door. She closed it behind her, slowly, still absorbed in her thoughts. She walked around the ground floor, but Mr Wonderful was nowhere to be seen.

"Where is he?" she wondered, going up the stairs.
    "Oh, there he is", she saw him sitting in front of the desk.

Mr Wonderful was slouching on the chair, a letter clenched in his hands, a throbbing wrinkle on his forehead.
    He looked pale.

He lifted his head, and then she saw. His face was tinging on grey, his eyes red and swollen as if he had been crying…

———————

This BONUS reading is an extract from the next adventures of Gabrielle. The story continues with **London Calling**.

Lui sapeva bene che lei aveva già condiviso abbastanza, almeno per ora, molto più di quanto fosse abituata, quindi l'abbracciò fermamente, accarezzandole la schiena mentre le baciava la fronte.

Gabrielle girò la chiave e aprì la porta. La richiuse dietro di sé, lentamente, ancora assorta nei suoi pensieri. Fece il giro del pianterreno, ma Mr Wonderful non si vedeva da nessuna parte.

"Chissà dov'è?" si chiese salendo le scale.
   "Oh, eccolo lì", lo vide seduto davanti alla scrivania.

Mr Wonderful era come crollato e sprofondato sulla sedia, una lettera stretta tra le mani, una ruga pulsante sulla fronte.
   Era pallido come uno straccio.

Lui alzò la testa, e poi lei vide. Il suo viso stava diventando un colorito come grigio, i suoi occhi erano rossi e gonfi come se avesse pianto...

———

Questa lettura BONUS è un estratto delle prossime avventure di Gabrielle. La storia continua con **Londra Chiama.**

Gabrielle was away from the Paris office more and more, and working from home had started to creep in. From the London home.

London was calling, calling to write the next chapter of her story with him, and only him.

For Gabrielle had played, had strayed, and now she was ready to stay

Gabrielle era sempre più lontana dall'ufficio di Parigi e aveva iniziato a insinuarsi il lavoro da casa. Dalla casa di Londra.

Londra stava chiamando, chiamando per scrivere il prossimo capitolo della sua storia con lui, e solo con lui.

Perché Gabrielle aveva giocato, si era allontanata e ora era pronta a restare.

GABRIELLE COMPLETE ADVENTURES

The Nine Lives of Gabrielle is a powerful **contemporary romance** focusing on **city life** with a dab of **billionaire office romance** and a **strong female lead** with backbone, a big heart and a stubborn streak. It will make you laugh, reflect, cry and gasp while enjoying the excitement of the Big Apple, dreaming of Paris and longing for London.

The Nine Lives of Gabrielle è una storia d'amore travolgente e un viaggio alla scoperta di sé - la storia d'amore perfetta per farti ridere (a meno che tu non abbia il senso dell'umorismo ;-)), riflettere, sussultare e forse versare una piccola lacrima mentre scopri emozioni nella Grande Mela, sogni a Parigi e hai nostalgia per Londra.

Available in English & Italian/

Disponibile in Inglese & Italiano

SELF LOVE BOOKS - ENGLISH

I don't care if you don't like me: I LOVE ME - 28 ways to love yourself more", - a self-love book with guided practices for women inspired by my contemporary romance book, **The Nine Lives of Gabrielle,** and the journey of self-discovery and self-love of the protagonist, Gabrielle.

*I don't care if you don't like me: I LOVE ME - 28 ways to love yourself more - un libro per amare se stessi con pratiche guidate specialmente per donne ispirato dal romanzo d'amore contemporaneo **The Nine Lives of Gabrielle,** e il viaggio alla scoperta di sé stessa della protagonista, Gabrielle.*

Here you will find 28 quick and easy ways to love yourself more every day with techniques that you can try out and then adopt going forward.

Qui troverai 28 modi semplici e veloci per amarti di più ogni giorno con tecniche che puoi provare e poi adottare in futuro.

Day by day, all these little practices stack up and compound, creating a domino effect, not visible at the beginning but with a massive impact as you move along.

Giorno dopo giorno, tutte queste piccole pratiche si accumulano e si combinano, creando un effetto domino, non visibile all'inizio ma con un impatto enorme man mano che avanzi.

Available in English/Disponible in Inglese

AUTHOR'S NOTE / NOTA DALL'AUTRICE

Thank you so much for reading *Freedom Over Me*.

Grazie mille per aver letto Libertà Su di Me.

I hope you found reading this short story useful for *remembering* your language skills and you also enjoyed the story .

Spero che questa novella vi sia piaciuta e l'abbiate trovata utile per ricordare le vostre capacità linguistica.

A review would be much appreciated as it helps other readers discover the story and the series. Thanks.

Una recensione sarebbe molto apprezzata in quanto aiuta altri lettori a scoprire la storia e la serie. Grazie.

If you sign up for my newsletter you'll be notified of giveaways, new releases and receive personal updates from behind the scenes of my business and books.

Se ti iscrivi alla mia newsletter, sarete informati di omaggi, nuove uscite e riceverete aggiornamenti personali da dietro le quinte della mia attività e dei miei libri.

Go to/ *Visita* www.thepeoplealchemist.com to get started/ *per cominciare.*

Places in the book

I have set the story in real places in Paris and in a modelled fictional town in the north of France for *Le PDG* backstory. You can see some of the places/mentions here:

Luoghi nel libro

Ho ambientato la storia in luoghi reali a Parigi and in una cittadina fittizia nel Nord della Francia come sfondo all storia del PDG. Puoi scoprire di più su di loro o anche visitare:

- Bois de Vincennes
- Bois de Boulogne,
- Buttes-Chaumont
- Canonbury Square and Gardens
- Cinema en Plein Air festival
- Eurostar
- Gare du Nord
- Highbury & Islington
- Jardin du Luxembourg
- Jardins des Plantes
- Le Metro
- Parc Rives de Seine
- Paris Plages
- Parc Floral
- Parc de la Villette Palais-Royal
- Parc Monceau

- Parc Montsouris
- TGV (train à grande vitesse)
- <u>The Alwyne Castle</u>
- Tour Eiffel
- Tour Montparnasse

Bibliography

I read a lot of books as part of my research. Some of them together with other references include:

Bibliografia

Ho letto molti libri come parte della mia ricerca. Alcuni di loro insieme ad altri riferimenti includono:

The Artist Way - **Julia Cameron**
The Complete Reader - **Neville Goddard**, compiled and edited by **David Allen**
Psycho-Cybernetics - **Maxwell Maltz**
A Theory of Human Motivation - **Abraham Maslow**